Rindert Kromhout
De Grote Wedstrijd
Vrouwen Sjouwen
tekeningen van
Jan Jutte
Zwijsen
D0582095

Boeken met dit vignet zijn op niveaubepaling
geregistreerd en gecontroleerd door
KPC Onderwijs Adviseurs te 's-Hertogenbosch.

3 4 5 6 / 08 07 06 05

ISBN 90.276.4447.0
NUGI **260**/220

Voor België:
Uitgeverij Infoboek N.V. Meerhout
D/2000/1919/62

Inhoud

Klaar voor de start?

Deelnemers opgelet!
Nog vijf minuten!

Het grasveld bij het bos is vol mensen.
Sterke mannen.
Dikke en niet zo dikke vrouwen.
Mensen die komen kijken.
En veel kinderen.
Nog even en de wedstrijd begint.
Wat een spanning!
Wat een dag!

Bij een boom staat Fleur.
Ze heeft haar handen in haar zij.
Streng kijkt ze haar ouders aan.
'Winnen,' snauwt ze.
'Jullie moeten winnen.'
Moeder geeft haar een knuffel.
'Ja, mijn schat,' zegt ze.
'We zullen ons best doen,' zegt vader.

‘Zul je trots op ons zijn?’
‘Ik moet die prijs hebben,’ gromt Fleur.
‘Zorg dat je kampioen wordt.
Anders loop ik weg.’
‘Nee toch, dotje van me,’ zegt vader.
‘Wat moeten we zonder jou?’
‘Precies,’ zegt Fleur.
‘Naar de start dus.
En gauw een beetje.’

Nog drie minuten!

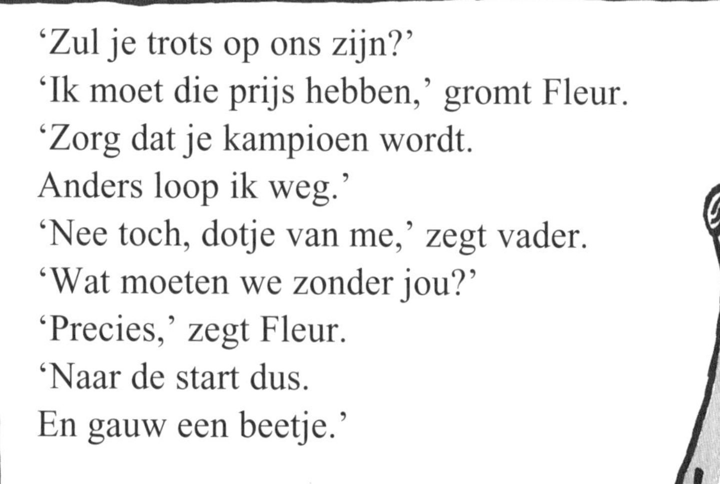

Achter een struik zit Jaap.
Hij gluurt naar zijn vader en moeder.
Ze zien hem niet.
Ze zien elkaar wel.
‘Jij hier?’ zegt pap tegen mam.
‘Wat kom je doen?
Ik wou je nooit meer zien.
Dat heb ik toch gezegd?’
‘En ik wou *jou* nooit meer zien,’
zegt mam.
‘Wat doe je hier dan?’ vraagt pap.

‘Het is voor Jaap,’ zegt mam.
‘Jaap vroeg of ik mee wilde doen.’
‘Aan mij ook,’ zegt pap.
Mam zegt: ‘Dus we doen allebei mee.
We rennen tegen elkaar.’
‘Precies,’ zegt pap.
‘Maar ik ga van jou winnen.’
‘Mooi niet,’ zegt mam.
‘Ik ga van jou winnen.’
‘Haha!’ lacht pap.
‘Dat zullen we nog wel eens zien.
Eens even kijken.
Wat voor nummer heb ik?
Nummer tien.
Ik ben benieuwd met wie ik loop.
Dat heeft Jaap nog niet verteld.’
‘Nummer tien?’ vraagt mam.
‘Maar... ik heb ook nummer tien.’
‘Hoe kan dat nou?’ zegt pap.
‘Dat betekent... dat we sámen meedoen.
Niet tégen, maar mét elkaar.’
‘Bah,’ zegt mam.
‘Jasses,’ zegt pap.

Nog één minuut!

Fleur geeft haar moeder een duw.
'Schiet op.'
Moeder waggelt naar de startstreep.
Ze is dik, heel erg dik.
Dat was ze niet altijd, hoor.
Pas sinds kort is ze zo.
Dat komt door de wedstrijd.
Hoe dikker hoe beter, vindt Fleur.
Want je weet maar nooit.
Vader is niet dik.
Vader is sterk.
Dat moet ook wel.
Anders kan hij niet met moeder sjouwen.
'Til d'r op,' gromt Fleur.
Vader doet wat Fleur zegt.
Hij tilt moeder op.
Hij zet haar op zijn schouders.
Zo gaat hij bij de startstreep staan.

Jaap zit nog steeds bij de struik.
Weer kijkt hij naar pap en mam.

Nog altijd zien ze hem niet.
Met zure gezichten staan ze daar.
‘Moet het echt?’ vraagt pap.
‘Doen we echt sámen mee?’
‘Ik heb er ook geen zin in,’ zegt mam.
‘Nou ja, vooruit.
Omdat Jaap het zo graag wil.
Til me op.’
Pap zucht diep.
‘Wat een nare wedstrijd.
Ik heb er helemaal geen zin in.
Toe dan maar.
Klim op mijn rug.
Au!
Zachtjes, je doet me pijn.’
‘Stel je niet aan,’ zegt mam.

Attentie, attentie!
Klaar voor de start?
Af!

De wedstrijd

Daar gaan ze!
De wedstrijd begint.
Vijftien mannen doen mee.
Ze rennen.
Ze sjouwen vrouwen.
Elke man draagt één vrouw.
Op zijn schouders.
Of op zijn rug.
Of gewoon in zijn armen.
De meeste mannen zijn groot en sterk.
Behalve één.
Eén is er klein, heel erg klein.
Hij is een dwerg.
Aan zijn nek hangt een kleine vrouw.
Een paar mannen hijgen nu al.
Ze hollen over het veld naar het bos.
De vrouwen gillen, van plezier of van angst.
Langs de kant staat het publiek.
Jongens, meisjes, grote mensen.

Het publiek juicht.
'Zet hem op!'
'Hup, hoera!'

Wat is dat voor wedstrijd?
Waarom doen die mannen dat?
Waarom sjouwen ze vrouwen?
Het is De Grote Wedstrijd Vrouwen
Sjouwen.
Daar doen ze aan mee.
Jawel!
Het is weer zover.
Die wedstrijd gaat zo:
Een man tilt een vrouw op.
Dan begint hij te rennen.
Eerst sjouwt hij haar over een veld.
Dan door een donker bos.
Door distels heen.
Een modderpoel in.
Een hek met prikkeldraad over.
En achter dat hek is de eindstreep.
Wie daar het eerst is, die wint.
Die is de kampioen.

Maar... een vrouw die valt, is af.
Die mag niet verder.
Een man die struikelt ook niet.
En wat als er twee even snel zijn?
Dan wint de dikste vrouw.
De dikste vrouw is het zwaarst.
Dus dat is het knapst.
Daarom zijn veel vrouwen zo dik.
Want je weet maar nooit.
De wedstrijd is één keer per jaar.
Vandaag dus.
Daar gaan ze over het veld.
Vijftien mannen met hun vrouwen.
Wat een spanning!

Langs de kant staat Fleur.
Ze ziet er mooi uit.
Ze heeft haar nieuwe jas aan.
Nou ja: haar nieuwe jas van deze week.
En haar nieuwe jurk.
Elke week krijgt ze nieuwe kleren.
En ook nieuw speelgoed.
Dat wil ze, dus krijgt ze het.

‘Sneller!’ schreeuwt ze kwaad.
Ze stampvoet.
‘Schiet op, anders win je niet!
En ik wil die prijs!
Ik *moet* hem hebben!’
De prijs is een cd-speler.
Fleur heeft al lang zo’n ding.
Maar deze is mooier en duurder.
En daarom wil ze hem.

Haar moeder kijkt om.
Haar vader wuift.
‘Ik doe mijn best, schat!’ roept hij.
Een eind verderop staat Jaap.
Zijn vader kijkt niet om.
Zijn moeder ook niet.
Samen, denkt Jaap blij.
Ze zijn weer samen.

Jaap

De mannen rennen over het veld.
Veertien op een rij.
Nog niemand is het snelst.
Haast niemand blijft achter.
Behalve de kleine man.
Hij is nummer vijftien.
Al meteen is hij achterop geraakt.
Zijn beentjes zijn zo kort.
Maar de anderen gaan gelijk op.
Zo gek is dat niet.
De wedstrijd is pas aan het begin.
En dat grasveld stelt niet veel voor.
Er zijn geen hobbels.
Er zijn geen brandnetels.
Het is gewoon een veld met gras.
Simpel zat.
En... ai, daar gaat iets mis!
Een kale man let niet goed op.
Hij struikelt over een tak.
Zijn vrouw vliegt door de lucht.

Met een bons valt ze in het gras.
Meteen komt de baas van de wedstrijd erbij.
'Jullie zijn af!' zegt hij.
'Ga maar weg.'
Sip staat de kale man op.
'Ik deed het niet expres,' zegt hij.
'Er lag een tak en...'
'Niks mee te maken,' zegt de baas.
'Van het veld af en gauw een beetje.'
Bedroefd loopt de man weg.
Zijn vrouw sjokt achter hem aan.
Jaap juicht.
Fleur ook.

Nu zijn er nog veertien.
'Hup pap, hup mam!' roept Jaap.
Horen ze hem?
Hij weet het niet.
Ze zijn ver weg.
Kijk, daar gaan ze het bos al in...
Gauw holt Jaap om het bos heen.
De rest van het publiek doet dat ook.
Alleen Fleur blijft staan.
'Sneller!' brult ze.
Maar er is niemand meer te zien.

Jaap woont bij zijn moeder.
Zijn vader is verhuisd.
Jaap vindt dat erg.
Och, vroeger was het ook niet fijn.
Pap woonde toen nog thuis.
Maar altijd was er ruzie.
Niet met Jaap, hoor.
Tegen Jaap waren ze lief.
Maar tegen elkaar niet.
Altijd boos op elkaar.
Altijd schelden.
Op een dag zei pap: ‘Ik ga weg.
En ik kom nooit meer terug.’
‘Goed idee,’ zei mam.
‘Ga maar heel ver weg.’
Pap pakte zijn koffer.
Kwaad liep hij het huis uit.
Jaap wachtte tot hij terug zou komen.
Een dag, een week, een maand.
Maar pap kwam niet terug.
Wel belde hij Jaap op.
‘Ik woon nu ergens anders,’ zei hij.
‘Hier heb ik het naar mijn zin.

Kom je op bezoek?'
Nu is Jaap soms bij pap.
En soms bij mam.
Bij pap is het fijn, bij mam ook.
Er is geen ruzie meer.
Toch vindt hij dit maar niks.
Pap en mam zien elkaar nooit meer.
Dat willen ze niet.
Af en toe komt pap Jaap halen.
Of hij brengt hem weer thuis.
Maar nooit komt hij zijn auto uit.
'Liever niet,' zegt hij dan.
Maar vandaag is het anders.
Vandaag zien ze elkaar weer.
Tof! vindt Jaap.
Misschien komt alles nu goed.
Wat zou dat een feest zijn!
Terwijl Jaap dit denkt, holt hij verder.
Gauw naar de andere kant van het bos.

Het bos

Jaaps vader holt tussen bomen door.
Hij springt over struiken.
Mam hobbelt mee op zijn rug.
'Tjonge,' bromt pap.
'Wat ben jij zwaar, zeg.'
'Klaag niet zo,' zegt mam.
'Kijk uit voor die boom!'
Ze grijpt paps haar vast.
'Au!' gilt die.
'Je doet me pijn.
Dat doe je expres.
Wat gemeen.'
'Ach welnee,' zegt mam.
'Wel waar,' zegt pap.
'Net als vroeger.
Altijd deed je gemeen tegen me.
Bukken, een lage tak!'
Mam bukt en pap rent door.
'Altijd was je boos op me,' zegt hij.
'Daarom ben ik weggegaan.'

‘Boos op jou?’ vraagt mam.
‘Ja, ik was boos.
Vind je het gek dat ik boos was?
Nooit was je thuis.
Altijd was je aan het werk.’
‘Nou en?’ zegt pap.
‘Ik heb een drukke baan.’
‘Voor Jaap was dat ook niet leuk,’ zegt mam.
‘Hou je vast!’ roept pap.
‘Een braamstruik.
Daar spring ik overheen.
Au, niet aan mijn haren, zeg ik toch!’
‘Sorry,’ zegt mam.
Ze grinnikt.
‘Je hebt lang haar,’ zegt ze.
‘Dat staat je goed.’
‘Geen tijd voor de kapper,’ zegt pap.
‘Vind je het echt mooi?’
‘Ach, eh... gaat wel,’ zegt mam.
‘Loop nou eens wat vlotter.
Je lijkt wel een slak.’
‘Dikke zeurpiet,’ gromt pap.

Ineens klinkt er een gil.
Een man zit vast in de braamstruik.
Hij kan geen stap meer doen.
Op zijn rug hangt een gerimpeld vrouwtje.
'O, wat erg!' roept het vrouwtje uit.
'Mijn man zit vast, help!'
Daar is de baas van de wedstrijd weer.
'Vastzitten mag niet,' zegt hij.
'Jullie zijn af!
Maak dat je wegkomt.'
Mam kijkt om naar de braamstruik.
'Weer een minder,' zegt ze.
'Dat zal Jaap fijn vinden,' knikt pap.
'Wie weet, winnen we die prijs.
Dan geven we hem aan Jaap.'
'Goed idee,' zegt mam.
'Hortsik!'
'Zeg, hou op!' bromt pap.
'Ik ben geen paard.'

Het veld met distels

Daar komen ze het bos uit.
Tien mannen en tien vrouwen.
Drie sjouwers zijn verdwaald.
Die blijven achter in het bos.
Dus die zijn ook af.
O nee, geen drie, maar twee.
Want daar is ook de kleine man.
Een heel eind achter de rest.
Hij dribbelt om een struik heen.
De kleine vrouw geeft hem een kus.
'Goed zo,' zegt ze.
'Wat was je dapper in dat bos.'
De baas van de wedstrijd pakt zijn papier.
Hij streept twee namen door.
De mannen puffen en zweten.
De vrouwen houden zich stevig vast.
Het publiek klapt.
'Hoera, het gaat goed!'

Bij de bosrand staat een tafel.

Er staan glazen water op.
Ook liggen er broodjes klaar.
De mensen die meedoen mogen rusten.
Iets eten en iets drinken.
Daarna moeten ze verder.
Dwars door het veld met distels.
Op naar de modderpoel.
Fleur staat bij de tafel.
Nog steeds met haar handen in haar zij.
Ah, daar ziet ze haar vader en moeder.
'Fijn,' zegt moeder, 'broodjes.'
'Mmm,' zegt vader, 'water.'
'Niks ervan,' snauwt Fleur.
'Doorlopen.
Anders winnen jullie niet.
Gauw nou!'
'Maar Fleur...'
'Nee!' zegt Fleur streng.
'Rennen.'
'Goed, schat,' zegt vader.
'We eten straks wel wat.
Na de wedstrijd, hè?
Als we de prijs hebben.'

‘Precies!’ zegt Fleur.
Moeder zegt niks.
Ze graait een broodje van de tafel.
En vader rent al weer.
Hup twee, het veld met distels in.
Ook Jaap staat bij de tafel.
Hij pakt voor pap een beker water.
Mam geeft hij een broodje.
‘Het gaat goed,’ zegt hij blij.
‘Jullie liggen op de zesde plaats.
Leuk hè, die wedstrijd?’
Mam neemt een hap.
‘Niet kruimelen,’ bromt pap.
‘Er valt brood in mijn shirt.’

De ouders van Fleur zijn al een stuk verder.
‘Zeg?’ vraagt moeder.
Vader geeft geen antwoord.
Hij heeft het te druk met rennen.
Ook moet hij op de distels letten.
Wat zijn ze hoog en scherp.
‘Nog drie mannen voor me,’ mompelt hij.

‘Maar de rest is te sloom.
En die drie haal ik ook wel in.
Goed, hè?’
Moeder geeft hem een mep op zijn hoofd.
‘Hoehoe, luister eens.’
Vader kijkt omhoog.
‘Wat is er?’
‘Kijk uit!’ gilt moeder.
‘Anders struikel je.’
Meteen kijkt vader weer voor zich.
‘Wat is er nou?’
Moeder zegt: ‘Vind jij dit leuk?’
‘Vind ik wat leuk?’
‘Nou, wat we nu doen.
Die wedstrijd.’
‘Hm,’ bromt vader.
‘Nee, niet zo erg.
Ik zou liever thuis zitten.
Lekker lui met de krant.
Au!
Het prikt door mijn sokken heen.
Maar we doen het voor Fleur.’
‘Precies!’ zegt moeder.

‘We doen het voor Fleur.’
‘Ze wil die prijs,’ zegt vader.
‘Daarom zijn we hier.’
‘Ja...,’ zegt moeder met een zucht.
‘Fleur wil het, dus doen we het.
Net zoals altijd.
Als Fleur...’
Ze maakt haar zin niet af.
Want een zware stem brult: ‘Opzij jij!’
Een grote man stuift voorbij.

Hij springt over distels.
Hij trapt een molshoop plat.
In zijn armen hangt een dunne dame.
Ze heeft haar handen stevig om zijn nek.
'Uit de weg!' brult de man.
'Ik moet erlangs!
Ik wil winnen!
Au!
Ik word kampioen!
Mijn vrouw is dun.
Maar dat doet er niet toe.
Ik win met gemak.'
Moeder schreeuwt van schrik.

Vader wankelt.
Bijna valt hij.
Het gaat maar net goed.
'Kijk een beetje uit,' mompelt hij.
Maar de grote man is al voorbij.
Trillend loopt vader door.
Hij zegt niks meer.
Moeder ook niet.

Een lange man zag wat er gebeurde.
'Deed hij bij mij ook,' vertelt hij.
'Mij duwde hij ook opzij.
Het is niet eerlijk.
Bruut!' roept hij uit.
Hij balt zijn vuist naar de bruut.
Maar hij doet dat nogal wild.
Per ongeluk stompt hij zijn vrouw in haar oog.
De vrouw valt kreunend neer.
'Af!' roept de baas van de wedstrijd.
En zo zijn er nog tien...

Nooit thuis

Ook Jaaps vader rent door de distels.
Hij rilt en gilt.
De distels prikken.
Pap heeft een korte broek aan.
'Dommerd,' zegt mam.
'Kan ik het helpen?' zegt pap.
'Mijn lange broeken zijn vuil.
Ik heb geen tijd om ze te wassen.
Ik heb het te druk met mijn werk.'
'Zie je nou?' zegt mam.
'Je hebt nergens tijd voor.'
Even is pap stil.
Dan vraagt hij:
'Was ik echt zo vaak niet thuis?'
'Bijna nooit,' zegt mam.
'Ik vond dat naar voor Jaap.
Nooit ging je met hem naar het voetbal.
En hij vroeg het zo vaak.
Nooit ging je naar het strand.
En Jaap is dol op strand.

Voor mij was het ook niet leuk.
Het was saai zonder jou.
Elke avond was ik alleen.
Dan was het huis zo groot en leeg.'
'Tja,' zegt pap.
'Misschien is dat wel zo.
Ik dacht er nooit bij na.
Ik had het ook zo druk.
Maar dat was voor jullie.
Ik wou hard werken.
Dan verdiende ik veel geld.
Vond je dat niet fijn?'
'Nee,' zegt mam.
'Ik had liever dat jij thuis was.
Dat vond ik fijner.
Voor mij en voor Jaap.
Dat heb ik zo vaak gezegd.'
'Echt waar?' vraagt pap.
'Ja, wel tien keer,' zegt mam.
'Maar je luisterde nooit.
Je zei altijd: "Ik ben moe.
Ik wil geen ruzie.
Hou je mond."'

‘Zei ik dat heus?’ vraagt pap.
‘Wat dom van me.
Dat was niet aardig.
Au, verdraaid!
Kijk mijn benen eens.
Ze zitten vol schrammen.’
‘Ik heb een idee,’ zegt mam.
‘Zie je die tak daar?
Raap hem op.’
Pap doet wat ze zegt.
Hij raapt de tak op.
Mam pakt hem aan.
Met de tak slaat ze de distels plat.
‘Zo,’ zegt ze.
‘Nu word je niet meer geprikt.’
‘Dank je,’ zegt pap.
‘Graag gedaan,’ zegt mam.
Ze kroelt pap door zijn haar.
‘Hmmm, lekker,’ zegt pap.
‘Net als vroeger.
Doe nog eens.’
‘Nee, loop nou maar door,’ zegt mam.
Vlak achter pap loopt de kleine man.

Hij drentelt over de platte distels.
‘Mag toch wel?’ vraagt hij aan mam.
‘Ze zijn zo hoog en scherp.
En ik ben zo klein.’
‘Van mij mag het,’ zegt mam.

Alles voor Fleur

Het eind van het veld is in zicht.
De modderpoel glimt in de zon.
Het is een grote, diepe poel.
Hij zit vol beesten.
Kikkers en torren.
En wie weet wat nog meer.
Het publiek zit om de poel.
Die mensen kijken blij.
Dit is een leuk stuk van de wedstrijd.
Zo smerig!
De vader van Fleur staat aan de rand.
'Even rusten,' kreunt hij.
'Heel even maar.'
'Niet stoppen, lopen!' brult Fleur.
'Jaja,' zucht vader.
'Zo meteen.
Zeg?' vraagt hij aan moeder.
'Wat bedoelde je nou net?'
'Voor Fleur,' zegt moeder.
'Alles wat we doen is voor Fleur.

Nooit doen we iets voor onszelf.'
'Nee,' zegt vader.
'Maar dat geeft toch niet?
Het is zo'n schat, onze Fleur.'
'Dat wel,' zegt moeder.
'Maar ze is ook een beetje verwend.
Altijd krijgt ze haar zin.
Wil ze iets, dan doen we het.
Altijd.'
'Dat is waar,' geeft vader toe.
'Wil ze iets, dan krijgt ze het.'
'Soms hè,' begint moeder.
'Soms heb ik er genoeg van.
Dan zou ik *nee* willen zeggen.
Nee Fleur, dat doen we niet.
Nee Fleur, dat krijg je niet.'
Vader schrikt van die woorden.
Bang kijkt hij om zich heen.
Fleur is nergens te zien.
'Niet doen, hoor,' fluistert hij.
'Geen nee tegen Fleur zeggen.
Als je nee zegt, wordt ze boos.
Dan gaat ze stampen en schreeuwen.

Dan breekt ze het huis af.
Dat weet je toch?
Dan... o, opgelet!
We zijn de laatsten.
We moeten gauw de modderpoel in.'
Moeder haalt diep adem.
En vader neemt een sprong.

De modderpoel

Negen mannen duiken de poel in.
Negen vrouwen knijpen hun neus dicht.
De meeste mannen waden.
Alleen de kleine man niet.
Hij zwemt.
Hij is te klein om te waden.
De poel is te diep.
De kleine vrouw zit op zijn rug.
'Hup pap!' juicht Jaap.
'Het geeft niet dat je vies wordt.
Ga straks maar mee naar huis.
Dan mag je in bad!'

Eén man duikt de poel niet in.
Hij staat aan de kant te beven.
'Vies!' snikt hij.
'Ik vind modder vies.
Ik durf er niet in.'
Op zijn schouders zit een grote vrouw.
Boos kijkt de vrouw omlaag.
'Vooruit, d'r in,' zegt ze.
De man doet geen stap.
'Ik durf niet,' zegt hij zacht.
'Ik ben bang voor beesten.'
'Lafaard!' zegt de vrouw.
Ze springt van zijn schouders.
'Laat mij het dan maar doen.
Ik ben niet bang.'
Meteen tilt ze haar man op.
'Hohoho!' roept de baas van de wedstrijd.
'We gaan geen mannen sjouwen.
Dat mag niet.
Jullie zijn af!'
'Lafaard,' zegt de vrouw weer.

Nijdig loopt ze weg.
Haar man blijft treurig achter.

De anderen zetten door.
Stap voor stap waden ze door de poel.
Modder spat in het rond.
Kikkers springen weg.
De blubber is dik en stinkt.
Wat een toestand!
Nou ja, niet voor het publiek.
Dat geniet ervan.
De mensen zitten langs de kant.
Ze eten broodjes.
Ze drinken drankjes.
Ze gieren het uit.
Jaap moet ook lachen.
Zelfs Fleur glimlacht.
Het is ook zo'n mal gezicht.
'Kijk daar eens!' roept een meisje.
Ze wijst.
Het publiek kijkt, net op tijd.
Daar verdwijnt een vrouw in de modder.
Proestend komt ze boven.

‘Mijn man!’ roept ze uit.
‘Ik voel hem niet meer.
Waar is mijn man?’
Er borrelt een luchtbel op.
Een vies hoofd steekt uit de modder.
‘Jasses, ik was je kwijt,’ zegt het hoofd.
‘Ik dacht dat ik je voelde.
Maar het was een kikker.’
‘Kom hier!’ roept de vrouw.
‘Gauw, voordat ze het zien.’
Maar de baas heeft het al gezien.
Hij schudt zijn hoofd.
En weer streept hij een naam door.
‘Nog maar acht...,’ mompelt Fleur.

Langzaam gaat het verder door de modder.
Stap na stap na stap...
En weer gaat er iets mis.
‘Iekkk, een rat!’ gilt een vrouw.
‘Een vieze rat!’
‘Een rat, waar?’ brult een man.
Hij springt uit de modder op.

Zijn vrouw kukelt van zijn hoofd.
'Haha, gefopt!' roept de vrouw die gilde.
'Jullie zijn af.'
'Precies!' zegt de baas van de wedstrijd.
'En jij ook.
Valsspelen mag niet.
D'r uit!'

Nog zes... denkt Fleur.
We gaan winnen!
Kijk mam nou... denkt Jaap.
Ze lacht naar pap.
Ze is niet meer boos op hem.
Of pap ook lacht, kan hij niet zien.
Paps gezicht is gitzwart.

Naar huis

De kant, daar is de kant.
Daar is het einde van de poel.
Mannen klimmen de modder uit.
Vrouwen houden zich stevig vast.
Wat zien ze eruit.
Zes vieze mannen.
Zes natte vrouwen.
Maar... ze hebben het gered.
Ze zijn nog steeds niet af.
Het publiek klapt luid.
'Nog maar een klein stukje!' roept iemand.
'Alleen dat hek nog.
Zet hem op!'
Hijgend blijven de mannen staan.
Even op adem komen.
Heel even maar.
Fleur ziet dat haar vader stilstaat.
Nou, goed dan.
Even stilstaan mag van haar.
Als het maar niet te lang duurt.

‘Tjonge,’ puft vader.
‘Wat een wedstrijd.
Ik ben nog nooit zo moe geweest.
En dat allemaal voor Fleur.’
‘Wat een vieze modder,’ zegt moeder.
‘Ik was nog nooit zo smerig.
En dat allemaal voor Fleur.’
‘Tja,’ zegt vader.
Hij kijkt naar Fleur in het publiek.
En ineens gromt hij, heel zachtjes.
Alleen Fleurs moeder hoort het.
‘Zal ik je eens wat vertellen?’ zegt ze.
‘Ik heb zin om *nu* nee te zeggen.
Nee Fleur!
We doen niet meer mee.
Bekijk het maar.
Hoepel op met die wedstrijd.’
‘Maar schat!’ roept vader uit.
‘Dat kunnen we niet doen, hoor.
Dan wordt ze woedend.
Dan gaat ze stampen en schreeuwen.’
‘Nou en?’ zegt moeder.
‘Dan wordt ze maar boos.

Ik ben nu boos.
Boos omdat ik hieraan meedoe.
Moet je kijken hoe we eruitzien.
Ik wil naar huis.'
Vader kijkt omhoog.
Hij veegt een tor uit zijn oog.
Hij schudt troep uit zijn haar.
'Je hebt gelijk,' zegt hij.
'We doen het niet meer.
We stoppen ermee.
We gaan naar huis.
We gaan onder de douche.
Daarna bellen we een oppas.
En dan gaan we uit eten.
Jij en ik, lekker samen.
Zonder Fleur.'
'Goed idee,' zegt moeder.
'Zonder Fleur.
Ga op je hurken zitten.
Dan stap ik af.'

Fleur ziet wat er gebeurt.
'Nee!' gilt ze.

Ze laat zich in het gras vallen.
Ze schreeuwt.
Ze trappelt met haar benen.
'Nee, doorgaan!'
Maar de baas staat er al bij.
'Weg met jullie,' zegt hij.
Moeder loopt naar Fleur toe.
'Nee!' gilt die weer.
'Ik moet die cd-speler.'
Moeder pakt Fleur bij haar arm.
'Stel je niet aan, Fleur.
We gaan naar huis.'
Fleur is stil van schrik.
Zo heeft haar moeder nog nooit gepraat.
'Precies, schat,' zegt vader.
'Hou op met gillen.
We gaan naar huis.'
Verbaasd kijkt Fleur haar ouders aan.
'Waarom?' vraagt ze.
'We vinden het hier niet leuk,' zegt moeder.
'Daarom.'
Fleur trekt een pruillip.

‘Je vindt me niet meer lief,’ zegt ze.
‘Wel hoor,’ zegt moeder.
‘Ik vind je heus wel lief.
En toch gaan we naar huis.’
‘Waarom?’ vraagt Fleur weer.
Vader schraapt zijn keel.
‘Weet je wat?’ zegt hij.
‘Morgen krijg je een nieuwe jurk.
Hoe vind je dat?’
Fleur knikt.
‘En nieuw speelgoed,’ zegt ze.
‘Anders ga ik niet mee.’
‘We zullen zien,’ zegt moeder.
‘En nu geen gezeur meer.
Kom, we gaan.’
Bedremmeld loopt Fleur mee.
‘Ik ben boos,’ mompelt ze.
‘Ik moet een ijsje.’
Ze krijgt geen antwoord.

Wie wint de prijs?

'Alleen dat hek nog,' zegt pap.
'Precies,' zegt mam.
'Alleen dat prikkeldraad nog.
Dan is het bijna voorbij.
Gaat het?'
'Ja hoor,' zegt pap.
'Je bent helemaal niet zwaar.
Dat was maar een grapje.'
Mam kijkt naar Jaap in het publiek.
Ze zwaait naar hem.
'Zie je hoe blij hij is?' vraagt ze.
'Hij vindt het fijn dat we meedoen.'
'Ik ook,' zegt pap.
'Echt waar?' vraagt mam.
'Ja.
We kletsen zo knus.
Dat hebben we heel lang niet gedaan.'
'Dom van ons, hè?' zegt mam.
'Och,' vindt pap.
'Beter laat dan nooit.'

Het hek is hoog.
Er zit veel prikkeldraad op.
Daar moeten de vijf mannen over.
Voor vier lijkt dat geen probleem.
Zij zijn groot genoeg.
Maar de vijfde is de kleine man.
Hij dribbelt naar het hek.
Daar blijft hij staan.
Het hek is zo hoog als zijn hoofd.
'Te hoog,' zegt de kleine man.
'Dat lukt me nooit.
Was ik maar geen dwerg.
Was ik maar gewoon.'
'Ik zie het,' zegt de kleine vrouw.
'Dat hek is veel te hoog.
Daar kun je niet over.
En dat na al die moeite.
Eerst dat bos.
Toen die distels.
Toen die poel.
Dat heb je heel knap gedaan.
En nu...'
De kleine man snikt het uit.

‘Ik heb zo mijn best gedaan!
Ik wou zo graag winnen.
Dan zou je trots op me zijn.
Want ik vind je lief.’
De kleine vrouw glimlacht.
Ze neemt hem in haar armen.
‘Je hoeft niet te winnen,’ zegt ze.
‘Ik vind je toch wel lief.’
De kleine man droogt zijn tranen.
‘Heus?’ vraagt hij.
De kleine vrouw knikt.
‘Je bent de liefste van de wereld.’
‘Af!’ roept de baas van de wedstrijd.
Maar dat horen de kleine man en vrouw niet.
Hand in hand lopen ze weg.

Mam heeft alles gezien.
‘Wat een schatten,’ zegt ze.
Ze veegt een traan uit haar oog.
Ook pap is er stil van.
Hij schraapt zijn keel.
Hij klimt over het hek.

Daarbij schaaft hij zijn been weer.
Maar het lijkt of hij het niet voelt.
'Luister eens,' zegt hij.
'Mag ik een keer op bezoek komen?
Bij jou en bij Jaap?'
'Wil je dat heus?' vraagt mam.
'Daar heb je toch geen tijd voor?
Je hebt het immers veel te druk?'
'Och,' zegt vader.
'Ik kan best een dag vrij nemen.
Dan gaan we naar het strand.
Jij en ik en Jaap.
Hoe vind je dat?'
'Morgen?' vraagt mam.
'Nou...,' begint pap.
Ondertussen rent hij verder.
'Morgen moet ik...
Goed,' zegt hij dan.
'Morgen gaan we naar het strand.'
Weer kroelt mam hem door zijn haar.
'Jasses,' zegt ze.
'Wat ben je smerig.'
Op dat moment klinkt er gejuich.

Jaap rent op pap en mam af.
'Gewonnen!' roept hij uit.
'Jullie hebben gewonnen!'
Verbaasd stapt mam van pap af.
'Echt?' vraagt ze.
Ze kijkt om zich heen.
Iedereen klapt.
Ze kijkt omlaag.
Ja, ze staat op de eindstreep.
En nu pas gelooft ze het.
'Bah!' snikt een man met een baard.
'Weer niet gelukt!
Weer ben ik tweede.'
Mam tilt Jaap op.
'Zeg rakker?' vraagt ze.
'Wat was dat voor streek?
Ons stiekem samen laten meedoen.'
Jaap krijgt een kleur.
Hij weet niet wat hij moet zeggen.
'Zeg maar niks,' zegt pap.
'Het was heel lief van je.'
'Je stinkt, pap,' zegt Jaap.
Alledrie lachen ze.

‘Kom,’ zegt mam.
‘We gaan naar huis.’
Jaap kijkt op naar pap.
‘Ga je mee?’ vraagt hij.
Pap kijkt mam aan.
‘Ja hoor,’ zegt hij dan.
‘Ik ga met jullie mee.
Ik voel me vies.
Ik wil in bad.’
Ze willen weglopen.
Maar...
Daar is de baas van de wedstrijd.
‘Hoho!’ roept hij.
‘Dat gaat zomaar niet.
Hier blijven!
Jullie krijgen de prijs.’
O ja, de prijs, denkt Jaap.
Maar hij heeft al een prijs.
Hij hoeft er niet nog een.
‘Weet je wat,’ zegt pap tegen de baas.
‘Geef die prijs maar aan een ander.’
‘Goed idee,’ zegt mam.
‘Geef hem maar aan die kleine man.

Die heeft hem verdiend.'
'Hm,' bromt de baas.
'Vooruit dan.
Doen jullie volgend jaar weer mee?'
'Och,' zegt pap.
'We zullen zien,' zegt mam.
'Dag baas van de wedstrijd.'
'Dag winnaars,' zegt de baas.
'Kom nou,' zegt Jaap.
'Ik wil naar huis.
Lees je me straks voor, pap?'
'Zeker weten!' belooft pap.

Bizonboeken zijn er in drie kleuren

Bizon geel is voor kinderen van 6 en 7 jaar.
Bizon roze is voor kinderen van 7 en 8 jaar.
Bizon blauw is voor kinderen van 8 en 9 jaar.